私の人生スケッチ
あなたへ

にわ ぜんきゅう

エフエー出版

はじめに

この『私の人生スケッチ　あなたへ』はあなたが著者であり、
あなた自身が主役の本です。
そして、これをみて泣いたり、大笑いするのはたぶん、残された家族です。
あなたがこの本に書く家族への思いやメッセージは、
残された人たちにとって、かけがえのないものになるでしょう。

なるべく明るい気持ちになれるように、
読む人の笑顔を思い浮かべながら書いてみてください。
書くことがあまり得意でないのなら、絵や短歌、川柳、俳句、ダジャレ、
なんでもかまいません。昔の写真を貼ってもいいのです。
それは、あなたの新しい一面を家族が知る機会になると思います。

私は今年七十二歳になります。
ここらで一度立ち止まって、今までの人生を振り返ってみようと思います。
振り返ることは反省ではありません。
今後の残った大切な時をどう前進していくか、考えるためです。

私の場合、振り返ってみますと、とても長く感じた一日もあった。
あっという間に過ぎた短い一日もあった。
苦しい日も悲しい日もつらい日もあった。
どうすればこのぶち当たった壁を乗り越えられるのかと
悩んだ日々。
そしてそれを乗り越えて自信をもらった日もあった。
恋をして心がときめき、結婚。
子どもが生まれて今までにない幸せを感じた日もあった。

あなたもいろんな日を体験しながら、
今日までの人生を歩いたり、走ったり、
休んだりしながら前進してきたのです。
あなたの「人生スケッチ」、
あなた流で愉しく書いてくださいね。

まだまだ時間はあります。
ゴールに向かって先を急がず、ゆっくり進んでいきましょう。

つかいかた

大切な人に楽しんでみてもらえるよう、あなた自身も愉しんで書いてください。
言葉で綴ってもよし、絵を描いても、写真を貼ってもよし。
どうぞ自由に愉しんでください。

各ページのテーマに沿って
思い出の出来事など、
つらつらと書いてみてください。

川柳や俳句、短歌や詩、絵……
表現方法はなんでもだいじょうぶ。

フリーページは
自由に使ってください。

絵でも新聞の切り抜きでも、
思い出の写真を貼っても
いいですね。

メッセージ

一諸になって、今年で二十年、君は古希をむかえ、
みんなに、祝ってもらったね。
お互いリサイクル(再婚)だったけど、君と一諸になって
本当に、良かったと、思っているよ。
こうして長い間 老人ホームや小学校、文化教室
店(自宅のギャラリー)で、人に喜こんでもらえる仕事が
つづけてこれたのは、君のおかげが大きい。
感謝しながら、書いています。
僕と一諸になって、始めはリサイクルショップなんてと、
言って いたのに、よく行ったよな。(たまにいい買物もあるし)
君も僕をリサイクル(再婚)して、これは良い
買物だったと、思っているのかな。
僕も、あと十年位は リサイクルショップに、
持っていかれない様、元気で仕事もしたい。
これからも、今まで通り よろしく。

42

いろいろな方への
メッセージを書きましょう。

もくじ

名前にまつわること

父母のこと

祖父母のこと

きょうだいのこと

子どものころの思い出

元気が一番

ふるさとのこと

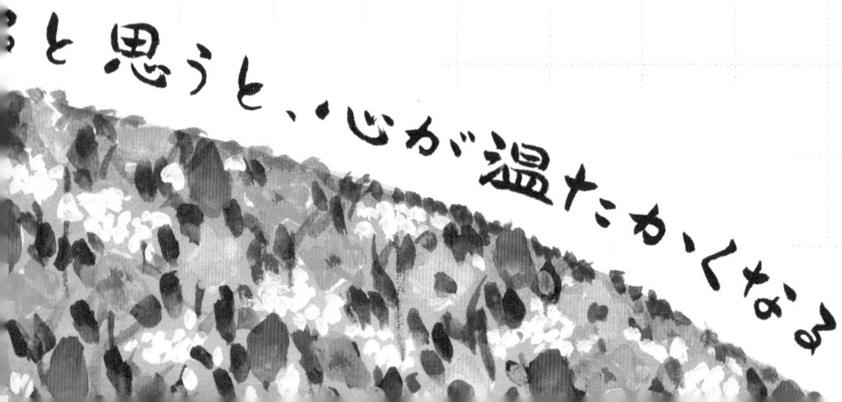

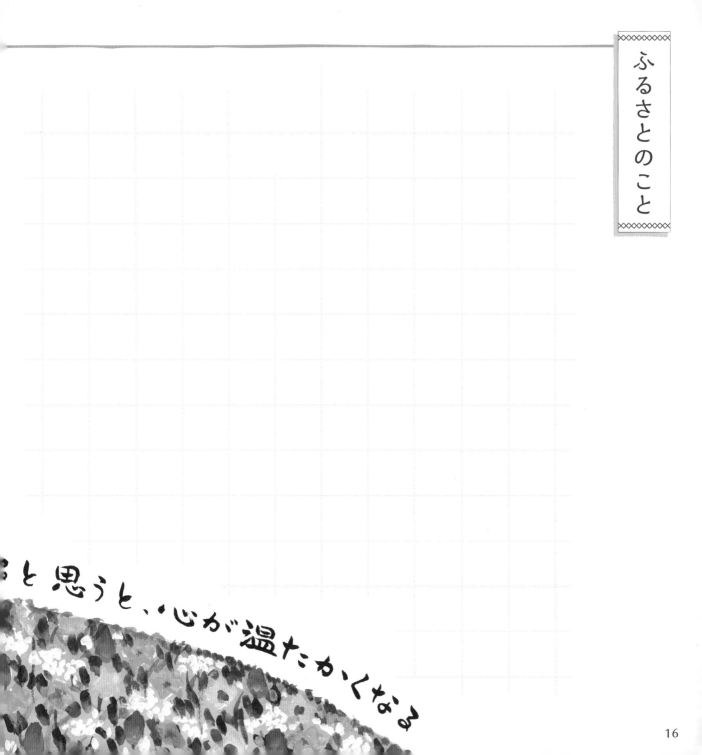

つながってい

学校の思い出

先生の思い出

はじめから　上手な人は　いないね

友だちのこと

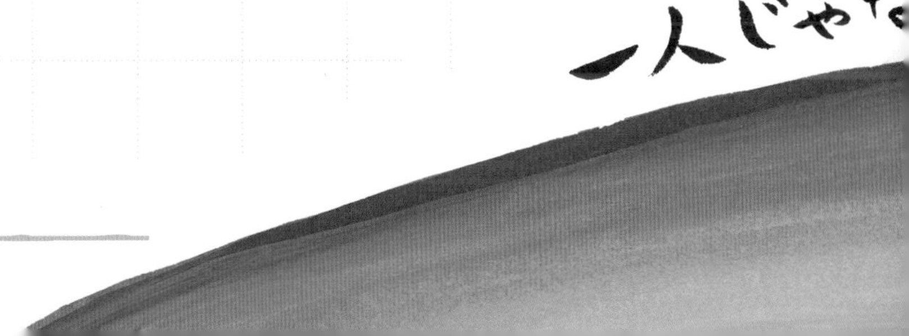
一人じゃ

旅の思い出

趣味のこと

きっとうまくいく

大好きな本・歌・映画など

いいことは
今日から 今から

神様は
乗り越え
られない
試練は
お与えに
ならない

仕事のこと

出会い・結婚

君が糸で僕が針ついておいで

大好きな季節の思い出

春になったら
花見で一杯
夏になったら
花火で一杯
秋になったら
月見で一杯
冬になったら
雪見で一杯
僕の心は
君でいっぱい

古里に行こうかな

みんな
元気で
幸せに

メッセージ

会えて
よかった
ありがとう

生まれ変わったら……

わが家の家系図

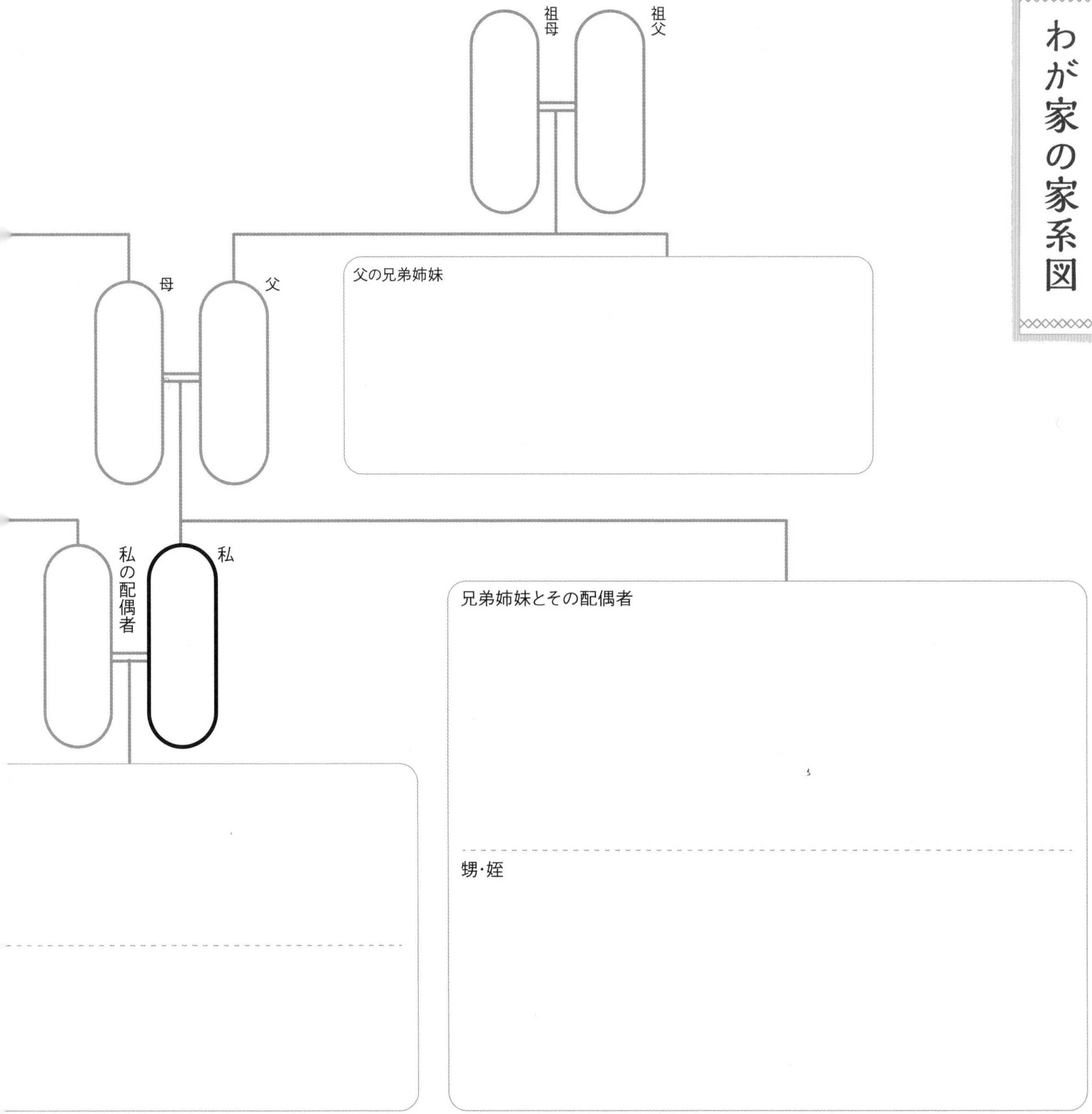

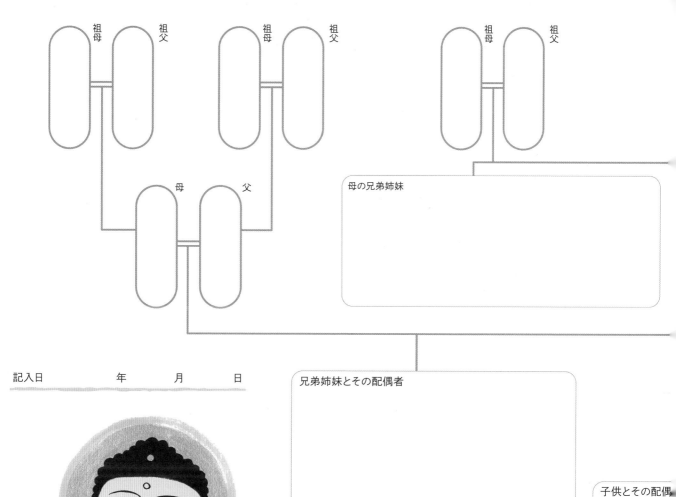

祖母 祖父

祖母 祖父

祖母 祖父

母 父

母の兄弟姉妹

記入日　　　年　　　月　　　日

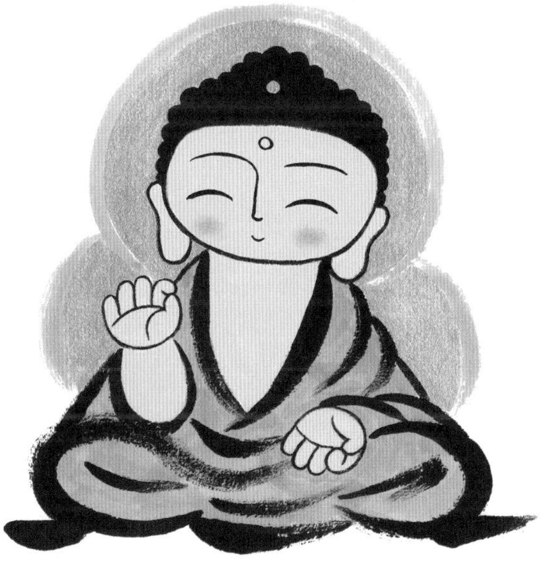

兄弟姉妹とその配偶者

甥・姪

子供とその配偶

孫

わたしのこと

いざというときのために、あなたの意志や希望を記しておきましょう。
家族やまわりの方にとっても大切な情報となります。

基本情報

名前

現住所

本籍地

その他

かかりつけ医

病院名（担当医）

住所

電話番号

病院名（担当医）

住所

電話番号

病院名（担当医）

住所

電話番号

病院名（担当医）

住所

電話番号

医療・介護について

入院や治療、介護などの希望

葬儀・お墓のこと

規模、宗派、供花、埋葬方法などの希望

寺院・墓地名

住所

電話番号

連絡先・メモ

氏名(間柄)

住　所

電話番号

氏名(間柄)

住　所

電話番号

氏名(間柄)

住　所

電話番号

氏名(間柄)

住　所

電話番号

氏名(間柄)

住　所

電話番号

氏名(間柄)

住　所

電話番号

氏名(間柄)

住　所

電話番号

氏名(間柄)

住　所

電話番号

MEMO

氏名(間柄)

住所

電話番号

氏名(間柄)

住所

電話番号

氏名(間柄)

住所

電話番号

氏名(間柄)

住所

電話番号

あとがき

いかがでしたか。愉しく書けましたか。
この本を見てくれる人たちの笑顔を思い浮かべて、
幼いころ、若かったころと昔を思い出して、
涙がほろりとこぼれたり、自分自身と向き合ういい時間でしたね。
きっと、オリジナルの百点満点の本ができたと思います。

私の経験も踏まえてのことですが、諦めなければ何とかなるものです。
これからも人生を終えるその日まで前進でいけば、
楽しくうれしい時間がたくさん残っています。

老いてもなお、教養と教育は必要です。
「今日、用(キョウヨウ)がある」「今日、行く(キョウイク)ところがある」、
私の好きな言葉のひとつです。
仕事や趣味などで毎日出かけることも、お散歩も、若さを保つ秘訣になるのでは。
一日に一回文章を読み、十回笑い、百回深呼吸して、千文字書き、一万歩を目指して
歩くことが、健康維持のために推奨されているそうです(一十百千万の健康法)。
どうぞ、お元気で幸せにお過ごしくださいね。

にわ ぜんきゅう

にわ ぜんきゅう

１９４８年、愛知県南知多町内海に生まれる。東京でデザイナーとして活動した後、42歳のとき故郷に戻りアトリエを創設、創作活動に入る。

石の鳥や流木造形、砂絵などで知られる作品は、これまでテレビ・新聞・雑誌などに取り上げられ、学校や官庁・企業・団体等のポスター・カレンダーなどにも数多く採用されている。南知多の豊かな自然の中から生み出されるこの作品には、素朴さと不思議なほどの温かみがある。

おもな著書に『にわぜんきゅうの般若心経』『にわぜんきゅうのだれでも描けるお地蔵さま』『だるまさんがころんだ』（以上エフエー出版）など。

私の人生スケッチ　あなたへ
2020年9月2日　初版第1刷　発行

著　者　にわ ぜんきゅう
発行人　前田哲次
編集人　谷口博文
エフエー出版
〒111-0051 東京都台東区蔵前2-14-14 2F
TEL 03-6699-1069　FAX 03-6699-1070

発　行　KTC中央出版
〒111-0051 東京都台東区蔵前2-14-14 2F

印刷・製本
シナノ書籍印刷株式会社

デザイン：RiAD DESIGN
編集：浅井文子（エフエー出版）

ISBN 978-4-87758-524-2 C0095